カンタンなのにかわいい★

10分で イベント スイーツ

木村 遥 著

理論社

もくじ

冬

Winter

冬のドリンク

COLUMN 誰でもカンタン！ スタイリングのコツ

●電子レンジ、オーブントースターの加熱時間は
メーカーや機種によって異なりますので、様子を見て加減してください。
また、加熱する際は付属の説明書に従って、
高温に耐えられるガラスの器やボウルなどを使用してください。

●液体を電子レンジで加熱する際、
突然沸騰する（突沸現象）可能性がありますので、ご注意ください。

●はちみつは乳児ボツリヌス症にかかる恐れがありますので、
1才未満の乳児には与えないでください。

●のあるところはヤケドしやすいので注意してください。

お菓子作りの道具を用意しよう

この本では、おもにこんな道具を使います。お菓子作りをはじめる前に、準備しましょう。

はかり

材料を分量どおりにはかるのはお菓子作りの基本。はかりは材料をのせて重さをはかる道具です。

計量スプーン

「大さじ１」「小さじ１」などの分量はこのスプーンではかります。「大さじ」は15㎖、「小さじ」は５㎖です。

計量カップ

１カップは200㎖。はかるときは、平らなところで目盛りの位置と同じ高さに目を合わせましょう。

包丁・キッチンバサミ

どちらも材料を切るのに使います。マシュマロを切るときなどはハサミの方がうまく切れます。

ボウル

電子レンジなどで加熱できる耐熱性がおすすめ。大きさの違うものがあると、湯せんや冷やすのに便利。

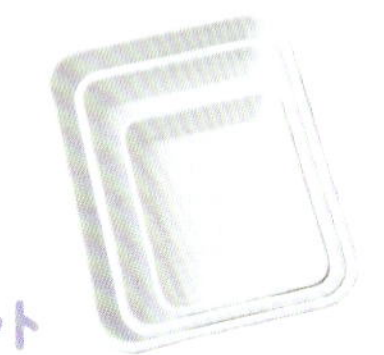

バット

材料をのせたり、冷やしたりするのに使います。大小いろいろなサイズをそろえておくと便利です。

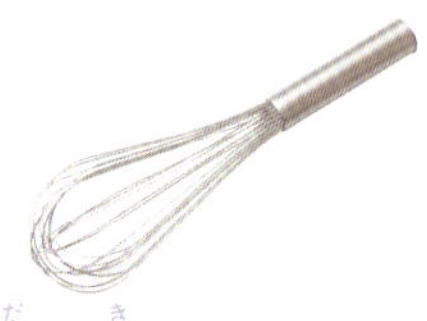

泡立て器

材料を混ぜたり、泡立てたりするのに使います。混ぜ加減に合わせてゴムベラと使い分けます。

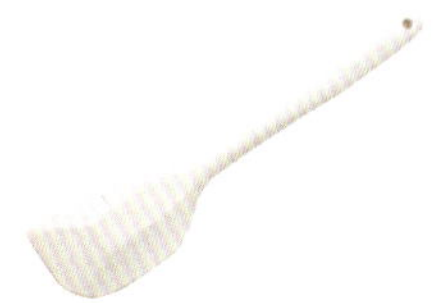

ゴムベラ

大きめの材料をさっくり混ぜ合わせるときに使います。生地を残さずすくい取るのにも活躍します。

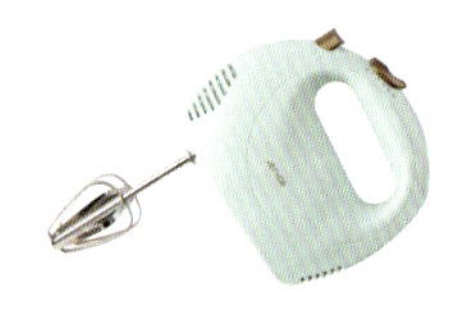

ハンドミキサー

電気で動く泡立て器です。手でやるよりスピーディに短時間で材料をかき混ぜることができます。

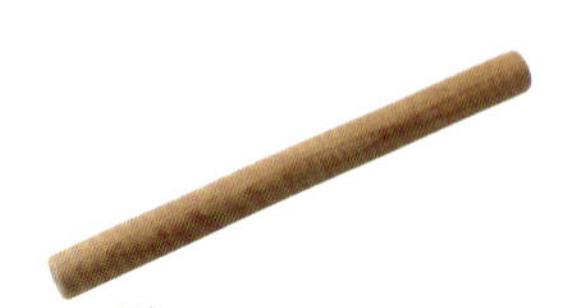

めん棒

材料をくだいたり伸ばしたりするのに使います。たたくときはポリ袋に入れると飛び散りません。

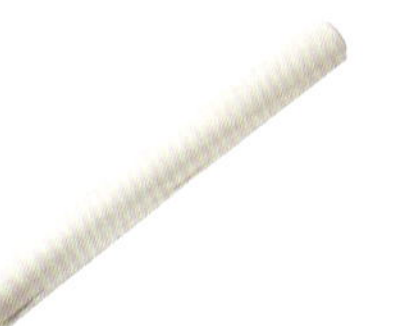

クッキングシート

材料の張りつき防止に使うシート。オーブンやトースターで材料を焼くときなどに下に敷いて使います。

ラップ

やわらかい材料の形を整えたり、材料が乾かないように覆ったり、加熱したりするときに使います。

抜き型

ケーキやクッキーの生地に押し当てて抜きます。いろいろな種類のものがかたどれて、サイズも豊富です。

耐熱保存容器

温度の変化に強い保存容器です。冷凍保存から電子レンジ加熱まで、さまざまな使い方ができます。

パウンドケーキ型

ケーキをオーブンで焼くための型ですが、ケーキ・アイスなどの形を整えるのにも使えます。

グラタン皿

グラタンを作るための容器です。そのままオーブンで加熱できるので、お菓子作りにも役立ちます。

この本で使うおもな市販品

市販品を使えば、難しそうなお菓子作りもとっても簡単！ まずはこれを準備しよう♪

クリームチーズ

牛乳とクリームで作ったチーズ。コクと塩気があり、さわやかな酸味で、いろいろなお菓子に使えます。

生クリーム

口当たりの良さとコクを加えてくれる、ケーキなどによく使う材料。お菓子には動物性のものがおすすめ。

バニラアイス

バニラ味のアイス。カップのものなら計量いらずで便利。チョコレート味やいちご味などでアレンジしても◎

アイスコーン

アイスクリームを盛りつける、食べられるコーン。円すい形のタイプや生地の違うタイプもあります。

コーンフレーク

とうもろこしから作ったシリアル食品の一種です。ザクザクした食感や適度な甘みをプラスできます。

カステラ

ふんわりやさしい甘さの焼き菓子。小麦粉、卵、砂糖が原料なので、スポンジケーキのように使えます。

バウムクーヘン

年輪のような模様のついた焼き菓子。小麦粉、バター、卵、砂糖が入っていて、扱いやすいのが特徴。

クッキー、ビスケット

サクサクした食感とやさしい甘さがうれしい焼き菓子。形や味を変えて、アレンジを楽しんで！

プレッツェル

サクッとした食感の焼き菓子。丸いものと棒状のものがあり、市販のスナック菓子でも代用できます。

板チョコレート

ビター、ホワイトなどの種類もあり、味や色合いを調整できます。溶かすときは小さく割るのがおすすめ。

チョコスプレー

カラフルな色合いのミニチョコレートで、単色のものもあります。かわいいトッピングを手軽に追加できます。

ココアパウダー

チョコレートと同じカカオマスを原料にした粉末です。ココア味にしたり、デコレーションにも使えます。

アラザン

砂糖とコーンスターチをコーティングした銀色の粒。デコレーションに使うとキラキラとかわいくなります。

粉糖

細かい粉末に加工した砂糖です。普通の砂糖より口当たりがよく、デコレーションにも使えます。

ベリー

自然な甘さでトッピング、色づけに活用できる小さな果実。長期保存可能な冷凍品が便利です。

ジャム

果物と砂糖などを煮詰めたもの。甘みと果物の風味、色合いを足せるので、お菓子作りに活躍します。

グラス ショートケーキ

材料を切ってのせるだけなのに
クリスマスにぴったりのかわいさ♡

材料・2人分

いちご…8個
カステラ…2切れ
生クリーム…100㎖
砂糖…大さじ1
アラザン…適量

作りかた

10

1 いちご6個（2個残しておく）をそれぞれ3枚の薄切りにします。

2 カステラを6等分に切ります。

3 ボウルに生クリーム、砂糖を入れ、ボウルを氷水に当てながら線が描けるまでハンドミキサーで泡立てます（6分立てが目安）。

4 カステラをグラスに入れ、いちごを張りつけるように並べます。

5 ❸の生クリームをかけます。

6 切っていないいちごをのせてアラザンを飾ります。

調理の Point!

グラスとの間に生クリームが入らないよう、いちごの断面をぴったりくっつけて並べるときれい。市販のホイップクリームを使うとさらにカンタンに！

ベリーとマンゴーのアイスケーキ

切(き)ると甘酸(あまず)っぱいフルーツがゴロゴロ！
見(み)た目(め)もきれいな特別(とくべつ)な日(ひ)のアイスケーキ

材料・18cm パウンドケーキ型1台分

カステラ…2切れ
バニラアイス…2個(400mℓ)
冷凍ベリー…100g
冷凍マンゴー…50g

作りかた

8

1 カステラを半分の厚さにカットします。

2 バニラアイスをスプーンですくい、少しずつボウルに入れます。

3 冷凍ベリー、マンゴーを加えて混ぜます。

4 パウンドケーキ型に型紙を敷いて❸を詰めます。

5 上にカステラを並べて冷凍庫で半日置きます。

6 お湯で温めたふきんなどで型を温め、型紙ごと取り外してからお皿に盛りつけます。

調理の Point!

いろんな冷凍フルーツで試してね。いちごアイス、チョコアイスでもきれいなケーキが作れるよ。パウンドケーキ型がなければ牛乳パックでも代用できるよ。

シューツリーケーキ

食べられるクリスマスツリーはいかが？
サンタさんも笑顔に

材料・1台分

チョコペン(ホワイト)…1本

[白のアイシング]
粉糖…大さじ3
レモン汁…小さじ1

[ピンクのアイシング]
粉糖…大さじ3
いちごジャム…大さじ1

プチシュー…20個
ラズベリー、ブルーベリー、
アラザン、粉糖…各適量

作りかた

10

1

お湯につけて溶かしたチョコペンでクッキングシートにデコレーション用パーツを描き、アラザンをふってから冷蔵庫で冷やし固めます。

2

小さなボウルで粉糖とレモン汁、粉糖といちごジャムをそれぞれ混ぜ、白とピンクのアイシングを作ります。

3

プチシューにアイシングをつけてお皿に並べます。

4

❸を繰り返してプチシューを積んでいきます。

5

アイシングを接着剤にして❶、ベリーなどを飾りつけます。

6

飾りをつけたら粉糖をふります。

調理のPoint!

ジャムに粉糖を溶くだけでカラフルなアイシングが作れちゃう。固まる前のアイシングは接着剤がわりにも使えるよ。他のお菓子でもデコレーションに応用してみてね。

リースケーキ

フルーツやクリームで飾りつけたリースは
ひと口サイズのプチケーキ

郵便はがき

101-0062

おそれいりますが切手をおはりください。

〈受取人〉

東京都千代田区神田駿河台2－5

株式会社 理論社

読者カード係 行

お名前（フリガナ）

ご住所 〒　　　　TEL

e-mail

書籍はお近くの書店様にご注文ください。または、理論社営業局にお電話ください。

代表・営業局：tel 03-6264-8890　fax 03-6264-8892

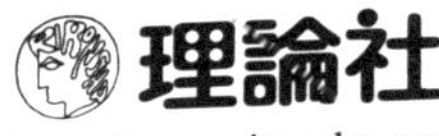

https://www.rironsha.com

ご愛読ありがとうございます

読者カード

●ご意見、ご感想、イラスト等、ご自由にお書きください。

●お読みいただいた本のタイトル

●この本をどこでお知りになりましたか？

●この本をどこの書店でお買い求めになりましたか？

●この本をお買い求めになった理由を教えて下さい

●年齢　　　歳　　　●性別　男・女

●ご職業　1. 学生（大・高・中・小・その他）　2. 会社員　3. 公務員　4. 教員　5. 会社経営　6. 自営業　7. 主婦　8. その他（　　　）

●ご感想を広告等、書籍のＰＲに使わせていただいてもよろしいでしょうか？

（実名で可・匿名で可・不可）

ご協力ありがとうございました。今後の参考にさせていただきます。

ご記入いただいた個人情報は、お問い合わせへのご返事、新刊のご案内送付等以外の目的には使用いたしません。

ジャムパイ

宝石(ほうせき)のブローチみたいなパイは
クリスマスのプレゼント♪

リースケーキ

材料・1台分

バウムクーヘン…1台
お好みのジャム、
ホイップクリーム、いちご、
ラズベリー、ブルーベリー、
スターチョコ、
ミントの葉…各適量

作りかた

8

1

バウムクーヘンを8等分に切ります。

2

お皿にバウムクーヘンを少しずつずらして丸く並べます。

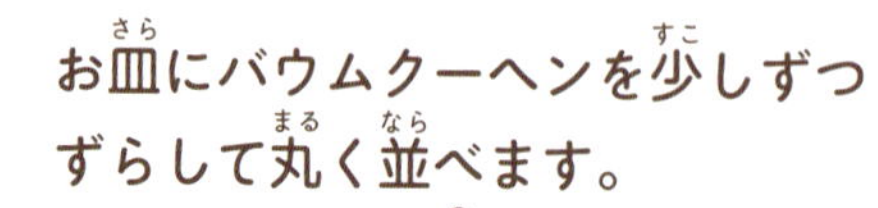

3

お好みのジャムをバウムクーヘンに塗ります。

4

ホイップクリームを絞ります。

5

カットしたフルーツ、スターチョコ、ミントをのせて完成。

調理のPoint!

つまんでそのまま食べられるプチケーキ♪　上にのせるジャム、デコレーションの種類はお好みでアレンジしてね。

ジャムパイ

材料・作りやすい分量

パイシート(10×18㎝)…1枚
卵…1個
お好みのジャム、粉糖…各適量

調理のPoint!

パイシートは同じ型で2枚を抜き、1枚の内側を小さな型で抜いてから重ねると、きれいなくぼみができるよ。パイシートが室温でやわらかくなりすぎたら冷蔵庫で冷やしてね。

作りかた

10

1

パイシートは約2分室温に置き、めん棒で約1.5倍の大きさまで伸ばします。

2

大小の抜き型を使ってパイシートを抜き、クッキングシートを敷いた天板に並べます（左下Point参照）。

3

つやを出すために卵を溶いてはけなどで❷に塗り、オーブンで5〜6分焼いてふくらませます。

4

焼き色がついたら粗熱を取り、くぼみにジャムを入れてお好みで粉糖をふります。

マシュマロクランチソフト

寒い冬にぴったり！
冷たくなくて、溶けないソフトクリーム

材料・3個分

マシュマロ…40g
コーンフレーク…40g
（またはポップコーン20g）
お好みのチョコレート
（なくても可）…適量
アイスコーン…3個
チョコペン、チョコスプレー、
ミニチョコレート菓子など
…各適量

作りかた

5

1

耐熱ボウルにマシュマロを入れて電子レンジ（600W）で40秒加熱し、コーンフレークを加えて混ぜ合わせます。

2

お好みのチョコレートを加える場合は❶に加えて混ぜます。

3

アイスコーンに❷を盛りつけます。

4

お湯につけて溶かしたチョコペンで❸を飾り、チョコスプレー、ミニチョコレート菓子をトッピングします。

調理の Point!

コーンフレークのかわりにグラノーラ40gでもOK。コーンに盛りつける前にマシュマロが固まったら、電子レンジ（600W）で約20秒再加熱するとやわらかくなるよ。できあがりにコーンスリーブを巻くと本格的！

ざくざくナッツブラウニー

バレンタインにあげたい！
手作(てづく)りチョコケーキNo.1!

材料・15×15cm 耐熱保存容器1台分

板チョコレート…2枚
バター…30g
卵…1個
ホットケーキミックス…100g
お好みのナッツ…40g
チョコペン(ホワイト)…1本

調理のPoint!

耐熱保存容器の容量は700mlが目安だけど、同じくらいのサイズの容器があれば問題なし。4の生地の加熱具合は竹串でチェックしてね♪

作りかた

10

1

耐熱ボウルに小さく割った板チョコレート、バターを入れ、電子レンジ（600W）で1分30秒加熱し、なめらかになるまで混ぜます。

2

卵を割り入れてさらに混ぜます。

3

ホットケーキミックスを加えて全体がなじむまで混ぜます。

4

耐熱保存容器に流し入れてナッツをトッピングし、電子レンジ（600W）で3分加熱します。竹串をさして生地がついてこなければOK。

5

お好みの大きさに切り分け、お湯につけて溶かしたチョコペンでデコレーションします。

熱々みかんのコブラー

コブラーはアメリカのお菓子。
熱々のフルーツソースがビスケットにジュワッ！

材料・1台分

みかん…2個
ビスケット…6枚
冷凍ベリー…50g
バター…20g
砂糖…大さじ1

作りかた

5

1

みかんを3等分の輪切りにします。

2

ビスケットをポリ袋に入れてふきんなどで包み、めん棒でたたいて粗くくだきます。

3

グラタン皿にみかんを並べて冷凍ベリーを散らします。

4

❷をかけてちぎったバターをのせ、砂糖をふってトースターで7～8分焼いてできあがり。お好みで粉糖をふっても◎。

調理のPoint!

❹では焼いている途中で様子を見て、ビスケットが焦げそうならアルミホイルをかぶせてね。いろいろなクッキーで作ってみるのも楽しい！

いろいろ アレンジショコラ

かわいく作(つく)れたら、
ラッピングしてプレゼントしちゃう!?

パレットショコラ
ホット
チョコレートバー

チョコレートトリュフ

材料・20個分

板チョコレート…4枚
生クリーム（動物性）…100mℓ
ココアパウダー、粉糖…各適量

作りかた

10

❶ 耐熱容器に小さく割った板チョコレート、生クリームを入れ、電子レンジ（600W）で2分加熱し、なめらかになるまで混ぜて溶かします。

調理のPoint!

❸ではチョコレートを等分しやすいようにスプーンなどで線を引いてね。❹では室温で自然に柔らかくなるから加工も簡単！

❷ 平らなバットに流し入れて冷蔵庫で約30分冷やします。

❸ ❷を20等分するように線を引き、1/20ずつをラップにのせて丸め、冷蔵庫で約1時間冷やします。

❹ ❸のラップを外してきれいに丸め直し、お好みでココアパウダーか粉糖をまぶしてできあがり。

パレットショコラ

材料・1台分

お好みのチョコレート2種
　…各1枚（2枚）
ビスケット、クッキー、
　巻きチョコ、
　ドライフルーツなど…各適量

作りかた

5

❶ チョコレートは小さく割って別々の耐熱ボウルに入れ、電子レンジ（600W）で40秒～1分加熱して溶かします。

調理のPoint!

チョコレート2種類は同じ分量がおすすめ。量が違う場合、様子を見ながら加熱時間を調整してね。組み合わせは好きなようにアレンジ可能。

2 クッキングシートを敷いたバットにチョコレートを入れて平らにならし、もう片方のチョコレートを流し入れて竹串で軽く混ぜます。

3 ビスケット、クッキーなどをお好みでトッピングし、冷蔵庫で約2時間冷やしてから、食べやすい大きさに割ります。

ホット チョコレートバー

材料・90mℓミニ紙コップ 4個分

板チョコレート
（ブラック、ホワイト）…各1枚
マシュマロ、
ドライフルーツ…各適量

作りかた

1 チョコレートは小さく割って別々の耐熱ボウルに入れ、電子レンジ(600W)で40秒～1分加熱して溶かします。

2 ミニ紙コップに溶けたチョコレートを流し入れます。

3 スプーンをさしてマシュマロ、ドライフルーツをトッピングします。

4 チョコレートが固まったら紙コップのふちをハサミで切り、むくようにして紙を外します。

調理の Point!

チョコレートの加熱はパレットショコラと同じで様子を見てね。シリコン型、おかずカップを型にしてもOK。スプーンでひと混ぜするとかわいいマーブル模様に。

いちごミルクおしるこ

お正月（しょうがつ）に食（た）べるおしるこも
いちごを使（つか）ったかわいいスイーツに！

材料・2人分

いちご…6個
切り餅…1個
ゆであずき…120g
牛乳…120mℓ
いちごジャム…小さじ2

作りかた

8

1

いちごはへたを取り除いて半分にカットします。

2

切り餅は半分に切ってトースターで焼きます。

3

深さのある器に❶、❷、ゆであずきを盛りつけます。

4

ジャムをトッピングし、耐熱容器に入れて電子レンジ（600W）で2分加熱した牛乳を注ぎます。

調理のPoint!

お正月に余りがちな切り餅も、かわいい和スイーツに！ジャムの代わりに練乳（コンデンスミルク）でもOK!

チョコレートフォンデュ

生クリームがたっぷり入った
なめらかフォンデュ！

材料・作りやすい分量

いちご、バナナ、
　カステラ、ビスケット、
　マシュマロなど…各適量
板チョコレート…2枚
生クリーム…50㎖
チョコスプレー…適量

作りかた

8

1

いちごはへたを取り除き、バナナは輪切りにします。カステラはひと口大に切ります。

2

いちご、バナナをストローや竹串にさします。

3

耐熱ボウルに小さく割った板チョコレート、生クリームを入れて電子レンジ（600W）で1分30秒加熱し、しっかり混ぜてからココットなどの器に入れます。

4

お皿に具材、❸を一緒に並べ、チョコレートをつけながら食べます。

調理のPoint!

お皿にはお好みの具材を小さく切って並べてね。ホワイトチョコレートでもOK。チョコレートをつけた後、追加でチョコスプレーをふってもかわいい！

雪だるまPOP

赤鼻のトナカイや雪だるまも
ひと口サイズのチーズケーキに!

材料・5個分

クリームチーズ…80g
カステラ…4切れ
プレッツェル(棒状のもの)…5本
ホワイトチョコレート…2枚
サラダ油…小さじ1
チョコペン(ブラック)…1本
ドライフルーツ、ミニマシュマロ、プレッツェル(丸いもの)…各適量

作りかた

10

1 耐熱ボウルにクリームチーズを入れて電子レンジ（600W）で30秒加熱し、小さくちぎったカステラを加えて混ぜます。

2 10等分してラップに包んで丸めます。

3 ラップを外して2個を重ね、棒状のプレッツェルをピックがわりにさします。

4 耐熱ボウルに小さく割ったホワイトチョコレートを入れて電子レンジ(600W)で40秒加熱し、サラダ油を加えて混ぜます。

5 ❸を❹のボウルに入れてチョコレートをかけます。

6 チョコが固まったら、溶かしたチョコペンで顔を描き、ドライフルーツ、ミニマシュマロ、半分に割った丸いプレッツェルで飾ります。

調理のPoint!

❸のプレッツェルは棒状のお菓子でアレンジ可能。チョココーティングされたものもおすすめ。ドライフルーツを鼻にしたり、ミニマシュマロで帽子を作ったりしてみよう！

ビスケット ブッシュドノエル

木の切り株型クリスマスケーキが
ビスケットで作れちゃう!

材料・1台分

ココアパウダー、
砂糖…各大さじ2
水…大さじ1
ビスケット…12枚
生クリーム…200㎖
ラズベリー、ブルーベリー、いちご、
ココアパウダー…各適量

作りかた

10

1

ボウルにココアパウダー、砂糖、水を入れて泡立て器でしっかり混ぜます。

2

生クリームを加え、ボウルを氷水に当てながらツノが立つまでハンドミキサーで泡立てます（8分立て）。

3

ビスケットに❷のクリーム約大さじ1を塗り、横に重ねてくっつけていきます。

4

クリームを全体に塗って冷蔵庫で約1時間以上冷やし固めます。

5

約1/4を斜めにカットし、断面を上に向けてのせます。

6

側面のクリームにフォークで木のような模様をつけ、フルーツを飾ってココアパウダーをふります。

調理のPoint!

❹では約1時間冷やすとクリームがほどよく固まり、約3時間冷やすとビスケットとクリームがなじんでケーキのスポンジ生地のように！冷やす時間はお好みで調整してね。

冬のドリンク

クリスマス、バレンタイン。冬のイベントにぴったり♪

マシュマロホットココア

ゆっくり溶けるマシュマロがかわいい♪

材料・2人分

ココアパウダー…大さじ2
砂糖…大さじ2
牛乳…300㎖
マシュマロ、ココアパウダー…適量

作りかた 5

❶耐熱容器でココアパウダー、砂糖、牛乳大さじ2を練り合わせ、残りの牛乳を加えて電子レンジ(600W)で3分加熱します。
❷カップに注いでマシュマロを浮かべ、ココアパウダーをふってできあがり。

ホワイトショコララテ

チョコとクリームを溶かしながら飲んで!

材料・2人分

ホワイトチョコレート…1/2枚
牛乳…300㎖
ホイップクリーム、ホワイトチョコレート、いちごジャム…各適量

作りかた 5

❶耐熱容器に小さく割ったホワイトチョコレート、牛乳を入れ、電子レンジ(600W)で3分加熱してからよく混ぜ合わせます。
❷カップに注いでホイップクリームをのせ、ホワイトチョコレートをスプーンで削り入れ、いちごジャムをかけます。

つぶつぶいちごミルク

生のいちごたっぷりのぜいたくミルク

ベリーソーダ

冬のパーティーにピッタリ！

材料・2人分

冷凍ベリー…60g

サイダー…300mℓ

作りかた 3

❶グラスに冷凍ベリーを入れてサイダーを注ぎます。

材料・2人分

いちご…8個

砂糖…大さじ3

牛乳…300mℓ

飾り用いちご…2個

作りかた 3

❶いちごをボウルに入れてフォークでつぶし、砂糖を加えて混ぜます。

❷グラスに①を入れて牛乳を注ぎ、切れ目を入れた飾り用いちごでグラスをデコレーションします。

誰でもカンタン!
COLUMN
スタイリングのコツ
A
B
C
A

クリスマスパーティーはにぎやかに演出♪

みんなで楽しむクリスマスパーティー。
素敵なスイーツのプレゼントがいっぱい!

A 壁のガーランド、クリスマス柄の皿は紙でできたペーパーアイテム。100円ショップでも手頃に買えて、クリスマス気分を盛り上げてくれます。

B ケーキはピックやケーキトッパーでにぎやかに飾ろう。サンタやトナカイ、星などのクリスマスモチーフを使うのもおすすめ。

C チョコレートフォンデュの串も、いちごでサンタの帽子を作ったり、星形のピックを使ったりしてクリスマスバージョンにアレンジ!

D パイなどの穴が開いているお菓子にカラフルなひもをつけ、ミニツリーにぶら下げれば、食べられるオーナメントに早変わり♪

E 席にラッピングペーパーのランチョンマット、柄つきのお皿、クリスマスオーナメントなどをセットすると、テーブルの上が華やかに!

誰(だれ)でもカンタン!

COLUMN

スタイリングのコツ

バレンタインのラッピング術

年に一度の特別なバレンタインの日。
チョコレートスイーツを、かわいくラッピングして贈っちゃおう!

A ホットミルクで溶かして食べるホットチョコレートバー。ラッピングをしてリボンをかけ、お気に入りのカップとセットにするとうれしさもアップ。

B 箱がなければ透明なポリ袋を活用しましょう。袋の口を引っ張って留めれば、空気がクッションになって壊れにくく、見た目も楽しいです。

C 形崩れしやすいトリュフも、マフィンカップや専用のボックスを使えば大丈夫。マフィンカップごとポリ袋に入れるとGOOD。

D パレットショコラ、カップなど割れやすいものも、ペーパークッションと一緒に箱に詰めれば安心! メッセージカードを添えると思いを伝えられます。

E 同じ種類のスイーツを入れたり、いろいろなものを詰め合わせたり、用意できる箱に合わせて贈り方もいろいろ。自分だけのバレンタインを♡

カンタンなのにかわいい★

10分でイベントスイーツ 冬

著者　木村 遥
フードコーディネーター/スタイリスト

書籍、雑誌、広告などで
フードコーディネート、
スタイリングなどを手がける。

料理研究家、スタイリストの
アシスタントを経て独立。
+
お仕事の中では、
お菓子を作ったり
食べる時間の楽しさを
表現するのが特にすき。

アシスタント……………川端菜月
制作協力………………株式会社A.I
撮影……………………福井裕子
カバー・本文デザイン……羽賀ゆかり

材料協力………………株式会社富澤商店
オンラインショップ https://tomiz.com/
電話番号:0570-001919

著　者　木村 遥

発行者　鈴木博喜
編　集　池田菜採
発行所　株式会社理論社
〒101-0062　東京都千代田区神田駿河台2-5
電話　営業03-6264-8890　編集03-6264-8891
URL　https://www.rironsha.com

2024年7月初版
2024年7月第1刷発行

印刷・製本　TOPPANクロレ　上製加工本

ISBN978-4-652-20616-4 NDC596 A4変型判 27cm 39p

10分スイーツ

全2巻 A4変型判 40ページ
各2800円(税別) C8377 NDC596

10分スイーツ 春・夏
978-4-652-20029-2

10分スイーツ 秋・冬
978-4-652-20030-8

15分でカフェごはん

全4巻 A4変型判 40ページ
各2800円(税別) C8377 NDC596

15分でカフェごはん 春
978-4-652-20159-6

15分でカフェごはん 夏
978-4-652-20160-2

15分でカフェごはん 秋
978-4-652-20161-9

15分でカフェごはん 冬
978-4-652-20162-6

10分スイーツ&100円ラッピング

全4巻 A4変型判 40ページ
各2800円(税別) C8377 NDC596

10分スイーツ&100円ラッピング 春
978-4-652-20317-0

10分スイーツ&100円ラッピング 夏
978-4-652-20318-7

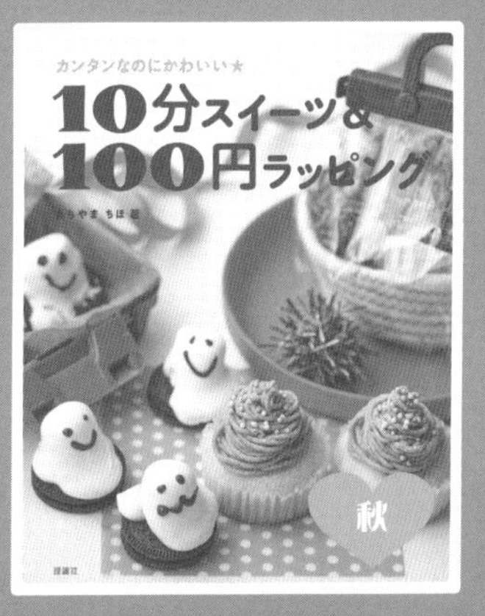

10分スイーツ&100円ラッピング 秋
978-4-652-20319-4

10分スイーツ&100円ラッピング 冬
978-4-652-20320-0